Au bain, Coquine!

POUR ASHLEY SAMANTHA LEE — K.V.J.

POUR ADRIAN, MEREDITH, JULIA, PATRICK, ALLIE, BRANDON ET MEGAN — B.L.

Données de catalogage avant publication (Canada)

Johansen, K. V. (Krista V.), 1968-
[Pippin takes a bath. Français.]
Au bain, Coquine!

Traduction de : Pippin takes a bath.
ISBN 0-439-00477-2

I. Lum, Bernice. II. Gagnon, Cécile. III. Titre. IV. Titre : Pippin takes a bath. Français.

PS8569.O2676P5614 1999   jC813'.54   C99-930541-7
PZ23.J63Au 1999

Les illustrations de ce livre ont été exécutées à l'aquarelle et aux marqueurs.
Le texte est en caractère Smile.
Conception graphique : Marie Bartholomew

Édition publiée par Les éditions Scholastic, 175, Hillmount Road, Markham (Ontario) L6C 1Z7, avec la permission de Kids Can Press Ltd.

5 4 3 1   Imprimé à Hong-Kong   9 / 9 0 1 2 3 4 / 0

Au bain, Coquine!

Texte de K.V. Johansen
Illustrations de Bernice Lum
Texte français de Cécile Gagnon

Les éditions Scholastic

Coquine est une chienne blonde avec de belles grandes oreilles et une queue frisée toute noire. Elle adore jouer dans la boue.

Un jour, Coquine découvre une grande flaque de boue. Coquine se roule dedans. Spliche! Splache! Sploche! et la voilà couverte de boue, des oreilles jusqu'au bout de la queue.

Puis, elle s'en va à la maison.

— Oh! Coquine! dit Mabelle. Que tu es sale! Tu ne peux pas entrer dans la maison comme ça!

Mabelle range ses pinceaux.

Elle installe une grande cuve dans la cour et la remplit d'eau.

Coquine déteste les bains! Elle va se cacher dans les rosiers.

Mabelle tire Coquine de là et la transporte jusque dans la cuve.

Pfuit! Coquine se sauve.
Elle traverse la cour et le
champ voisin à toute vitesse.
Elle saute dans le fossé et observe Mabelle à
travers les quenouilles.

— Reviens ici! crie Mabelle.

Elle s'élance dans le champ jusqu'au bord du
fossé.

—Ha! dit Mabelle en essayant d'attraper
Coquine.

Mais son pied glisse et elle
tombe dans la boue du fossé.

— Croâ! fait une grenouille.

— Ouaf! fait Coquine.

Mabelle rentre à la maison et prend un bain.
Coquine doit rester dehors.

Le jour suivant, Mabelle dit :

— Alors, Coquine! Aujourd'hui tu prends un bain.

Elle remplit la grande cuve d'eau. Coquine se cache dans le hangar. Mabelle tire Coquine de sa cachette et la met dans la cuve. Puis, elle prend le shampoing.

Pfuit! Coquine file.

Plof! fait le shampoing.

Coquine s'enfuit. Elle traverse la cour, le champ et elle saute par-dessus le fossé. Elle franchit le ruisseau sur un billot et se cache dans un buisson de mûres plein d'épines.

— Reviens ici! crie Mabelle. Il te faut un bain.

Mabelle traverse la cour et le champ en courant. Elle saute par-dessus le fossé et s'avance sur le billot.

— Ah! Ah!
dit Mabelle en
trébuchant.

Et elle tombe

de tout son long dans

l'eau froide!

— Coincoin! fait un canard.

— Ouaf! fait Coquine en léchant le visage de

Mabelle.

Mabelle retourne à la maison. Elle prend un bain

chaud et boit une tasse de thé.

Coquine doit rester toute seule dehors.

Le jour d'après, Mabelle dit :

— Coquine, aujourd'hui c'est à ton tour de prendre un bain.

—Ouf!

Elle entraîne Coquine à l'intérieur et monte à la salle de bains. Coquine se sauve et se cache dans un placard. Mabelle la sort de là, la transporte dans la baignoire et fait couler l'eau du robinet.

Pfuit! Coquine s'enfuit.

Splache! fait Mabelle.

Coquine dégringole les escaliers
et passe la porte. Au galop, elle
franchit la cour, traverse le champ, saute
par-dessus le fossé, court sur le billot et fonce
dans le bois.

Mabelle bondit hors de la baignoire. Elle sort de la maison, traverse le champ et enjambe le fossé. Elle court sur le billot et fonce vers le bois.

Coquine essaie de se cacher dans la tanière d'un renard. Mais celle-ci est trop étroite.

Ensuite, elle essaie de grimper à un arbre. Mais elle n'y arrive pas.

— Coquine, reviens! crie Mabelle.

Coquine aperçoit alors un tas de cailloux. Un bel endroit pour se cacher. Mais quelqu'un y est déjà endormi au grand soleil. Une bête noire et blanche qui n'est ni un chien ni un chat.

— Ouaf? dit Coquine.

La mouffette se réveille.
Elle tape le sol de ses pattes et
balance sa queue.

— Ouache! crie Coquine.

Quelle odeur! Quelle horrible
odeur! Ça lui pique les yeux,
le nez et la gorge. Coquine
court, court, court mais
l'odeur est toujours là.

Coquine se précipite dans le ruisseau, mais ça ne sert à rien. Coquine se roule dans

l'herbe, mais ça ne sert toujours à rien. Elle se roule dans le fossé

plein de boue, mais l'odeur ne veut pas s'en aller.

 Coquine se rue sur Mabelle. Elle saute sur elle en gémissant.

— Oh! Coquine, dit Mabelle.

Elle emmène la chienne à la maison. Elle met de vieux vêtements et sort la grande cuve dans la cour.

Les oreilles pendantes et la queue entre les pattes, Coquine entre dans la cuve toute seule.

D'abord, Mabelle plonge Coquine
dans du jus de tomates.

Puis, elle la baigne dans du vinaigre. Coquine pleurniche. Ça sent presque aussi mauvais que la mouffette.

— Voilà ce qui arrive aux chiens qui se font asperger par des mouffettes, dit Mabelle.

Ensuite, Mabelle donne un autre bain à Coquine avec un shampooing très parfumé cette fois.

Enfin, Mabelle sèche Coquine avec une grande serviette verte.

Mais Coquine sent encore la mouffette. Alors, elle doit rester dehors.

Le jour suivant, Coquine prend un autre bain.
Et le jour d'après, encore un autre. Enfin, Mabelle
permet à Coquine de rentrer dans la maison.

Dehors, il pleut. La flaque de boue s'agrandit de plus en plus. Coquine met une patte dedans. La boue s'infiltre entre ses orteils. Elle est collante et sent la pluie et les feuilles sèches. Coquine saute dans la flaque à quatre pattes. Elle patauge dans la boue. Spliche! Splache! Sploche! Bientôt, elle est couverte de boue de ses longues oreilles jusqu'au bout de sa queue frisée.

Puis, elle s'en va à la maison.

Quand Mabelle voit Coquine, elle soupire, puis elle éclate de rire.

— Oh! Coquine, dit Mabelle.